D1517327

BUCUREȘTI

Fotografii/Photo
© **Florin Andreescu**

Concepție/Concept
Florin Andreescu

Text
Silvia Colfescu

Traducere/English translation
Doina Caramzulescu

Procesare imagine/Image processing
Gina Büll

Descrierea CIP a Bibliotecii Naționale a României
ANDREESCU, FLORIN
         București / foto: Florin Andreescu ; text: Silvia Colfescu -
București : Ad Libri, 2002
         p.; cm
         ISBN 973-85518-5-4

I. Colfescu Silvia

913(498 Buc.)(084)

Editat © Ad Libri srl
(tel/fax:01-212 35 67, tel.:01-610 37 92; e-mail: flphoto@xnet.ro)

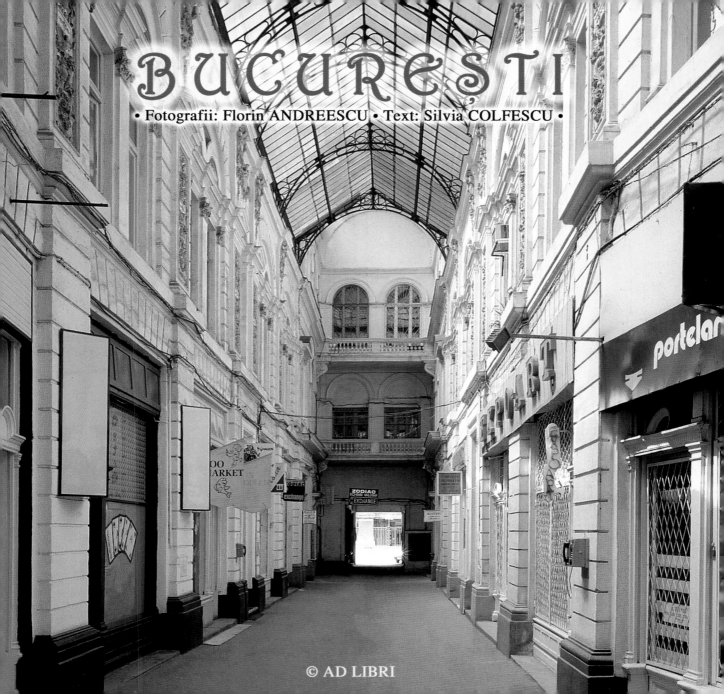

BUCUREȘTI

• Fotografii: Florin ANDREESCU • Text: Silvia COLFESCU •

BUCUREȘTI

Așezat într-un uriaș buchet de verdeață, pe un șes vălurit, odinioară acoperit de păduri, București este înconjurat de o salbă de lacuri, podoabă și sursă de răcoare și aer curat. Capitala unei țări europene care a jucat dintotdeauna rolul de punct nodal între est și vest, vechiul oraș poartă pecetea istoriei lui frământate, ce i-a lăsat moștenire tradiții, credințe, tezaure de știință și de artă.

Un oraș unic unde, sub haina occidentală, se simte încă vibrând orientul; un oraș al paradoxului unde, în mijlocul realității terne, poți întâlni un sâmbure neașteptat de frumusețe pură; un oraș al contrastelor, în care străzi urâte sunt mărginite de case frumoase, iar chipuri triste îți dăruiesc cu generozitate un zâmbet vesel.

Așa cum dovedesc săpăturile arheologice, oamenii au locuit încă din neolitic pe întregul teritoriu pe care se întinde astăzi orașul și în împrejurimi. Prima atestare documentară a Bucureștilor apare în hrisovul din data de 25 septembrie 1459, dat de voievodul Vlad Țepeș în "cetatea București".

Pe străzile Bucureștilor au pășit oameni care, într-un fel sau altul, au rămas în amintirea întregii lumi. Aici, la Curtea Veche, a trăit acum mai bine de cinci veacuri Vlad Țepeș, domnitor justițiar și energic, a cărui poreclă, Dracula, înfioară și astăzi inimile romanțioase; în zilele noastre, tot aici, înconjurat de fast și de ura mocnită a populației, a „domnit" timp de un sfert de veac un nou Dracula, Nicolae Ceaușescu, a cărui ascensiune lipsită de noimă s-a încheiat cu o moarte pe măsură.

Atașat de tradiție, dar iubitor de progres totodată, București a adoptat adeseori noul, cu un pas înaintea altor capitale mai vestite. Nu e de mirare că, acum un veac, i se spunea „Micul Paris", ca o recunoaștere a spiritului său modern, a strălucirii vieții lui sociale și culturale.

Orașul zilelor noastre are multe de oferit celor care doresc să-l cunoască. Bijuterii arhitectonice de tradiție bizantină, ascunse în spatele monotonelor blocuri noi, mici palate voievodale cu arhitectura de o armonie aproape magică, uriașa clădire a Parlamentului – a doua ca mărime din lume – a cărei construcție a înghiți cartiere întregi și cine mai știe câte vieți, muzee cu colecții neprețuite, parcuri și grădini.

Și, înainte de toate, farmecul orașului îl cuprinde și pe cel al locuitorilor săi: sunt oameni ospitalieri și veseli, înzestrați cu o invincibilă speranță și cu un iremediabil pesimism; oameni care privesc avatarurile vieții cu răbdare și deseori cu o ironie ce se îndreaptă mai ales împotriva lor. Paradoxali și unici. Oameni cu chipul orașului lor.

BUCHAREST

Situated in the middle of a huge bunch of verdure, in a wavelike winding plain, covered by thick woods in the past, Bucharest is surrounded by a necklace of lakes, both an ornament and a source of coolness and fresh air. A capital city of a European country, which has always played the role of a point of intersection between the east and the west, the old city further bears the indelible seal of its eventful history which has left a rich legacy consisting of matchless traditions, beliefs, treasuries of art and science.

This is a unique town where, under the western attire, you still feel the throb of the Orient; a town of paradoxes where, in the middle of a grayish reality, you may find the unexpected essence of pure beauty; a town of contrasts where the gloomy streets are surrounded by lovely houses and the people's sad faces generously address a cheerful smile to their visitors.

Personalities who have remained in a way or another in the history of mankind have once stepped in the streets of Bucharest. Vlad Țepeș (the Impaler) an energetic, justice making ruling prince, lived more than five centuries ago in the Old Princely Court; his nickname, Dracula, further thrills the romantic hearts; it is also here, that a new Dracula, Nicolae Ceaușescu, whose meaningless ascent ended in an adequate death,

"reigned" for 25 years surrounded by ostentatious luxury and the smoldering hatred of the population.

Attached to tradition but also a lover of progress, Bucharest has sometimes adopted the new even before other more famous capital cities. It is no wonder that one century ago, it was called the "Little Paris," as an acknowledgement of its modern spirit, of the glamour of its social and cultural life.

Today's town has plenty to offer to those who are willing to get acquainted with it. Architectural gems of Byzantine tradition, hidden behind the monotonous new blocks of flats, small princely palaces with an almost magical architectural harmony, the huge building of Parliament - the second largest construction in the world - whose erection swallowed whole districts and God knows how many lives, museums with matchless collections, parks and gardens.

Above all, the beauty of the city also includes the spiritual beauty of its inhabitants: hospitable, merry people endowed with an invincible hope and an incurable pessimism; people who contemplate the avatars of life with patience and sometimes with an irony mainly directed against themselves. Paradoxical and unique, the Bucharesters bear the image of their city.

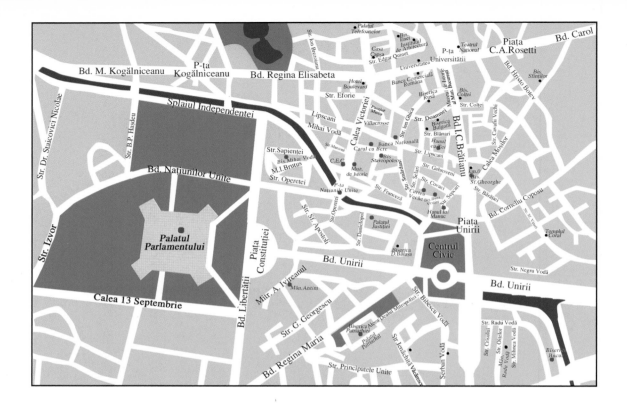

Piața Unirii era odinioară centrul comercial al orașului, orânduit în jurul frumoasei "Hale" de fier și sticlă, căzută victimă demolărilor din ultimele decenii ale secolului XX. O soartă similară au avut și impozantele clădiri ale Spitalului Brâncovenesc - așezământ ridicat de familia marelui voievod, precum și numeroasele case vechi care existau pe locul unde se întinde acum "**Centrul Civic**".

Dintre vechile clădiri se mai păstrează astăzi câteva pe Cheiul Dâmboviței; în rest, mari blocuri noi, care ascund, pe străduțele rămase intacte în spatele lor, piese prețioase de arhitectură veche bucureșteană.

*"Piata Unirii" (Unirii Square) was in the past the commercial center of the town, stretching around the beautiful iron and glass "Market Hall", which was the victim of the demolitions that scarred the face of the city in the last decades of the 20th century. A similar fate was shared by the remarkable buildings of the Brâncovenesc Hospital - a settlement raised by the family of the great Romanian ruling prince Constantin Brâncoveanu - as well as by the many old houses demolished to make room for the "**Civic Center**."*

A few old houses have been still preserved on the Dâmbovita embankment; otherwise, large new blocks of flats conceal precious gems of the old Bucharest architecture in the small streets which have remained intact behind them.

1890 ─ 1895

Templu al dreptății ridicat în inima orașului, **Palatul de Justiție** își oglindește fațada în apele calme ale Dâmboviței. Construită între anii 1890 - 1895, în stilul neo-renașterii, clădirea este datorată arhitectului francez A. Ballu; lucrările au fost încheiate de marele arhitect român I. Mincu.

Câteva dintre sculpturile care împodobesc edificiul sunt opera lui Carol Storck.

*A temple of justice raised in the very heart of the city, the **Palace of Justice** mirrors its facade in the quiet waters of Dâmbovița river. Erected between 1890-1895, the building plans were designed by the French architect A. Ballu; the building works were brought to an end by the great Romanian architect, Ion Mincu.*

Some of the sculptures that adorn the edifice were carved by Karl Storck.

Splendidă construcție de tradiție bizantină, **biserica Mihai Vodă**, ctitorită în 1589 de Mihai Viteazul, a fost văduvită de clădirile care o înconjurau, coborâtă de pe dealul ce-i purta numele și trasă în spatele unor blocuri.

*A splendid construction in Byzantine tradition, **Mihai Vodă Church**, erected in 1589 by ruling prince Michael the Brave, was deprived of the buildings which surrounded it, being carried downwards from the hill that bears its name and located behind some new blocks of flats.*

Biserica Patriarhiei a fost începută de voievodul Constantin Șerban în 1656, lucrările fiind terminate în 1668. În biserică se păstrează moaștele Sfântului Dimitrie Basarabov, considerat sfânt patron al orașului. Clopotnița a fost ridicată în 1698 de Constantin Brâncoveanu. Marele palat alăturat (1907, arhitect I. Maimarolu) a fost sediul Camerei Deputaților până în 1997, când Camera s-a mutat în noul Palat al Parlamentului.

*The construction of the **Patriarchy Church** was initiated by voivode Constantin Șerban in 1656; the works were finalized in 1668. The relics of Saint Dimitrie Basarabov, considered the holy patron of the city, are preserved in the church. The big palace near-by (1907, designed by architect I. Maimarolu) was the headquarters of the Chamber of Deputies until 1997 when the Chamber moved to the new Parliament Palace.* ▷

Bisericuța Bucur, pe care tradiția o atribuie legendarului întemeietor al orașului, datând însă din sec. XVIII, și impunătoarea **mănăstire Antim** (1708 - 1716) sunt ascunse de blocurile construite în jurul lor.
*__Bucur Church__, attributed by tradition to the legendary founder of the city, dating however from the late 18th century and the impressive **Antim Monastery** (1708-1716) are hidden by the blocks of flats erected around them.*

În secolul al XV-lea reședința a lui Vlad Țepeș, universal cunoscut sub numele de Dracula, **Curtea Veche**, care a adăpostit domnitorii Țării Românești timp de patru veacuri (sec. XIV - XVIII) se păstrează astăzi în ruine, organizate ca muzeu.

*The residence of Vlad Țepeș - well known throughout the world under the name of Dracula - in the 15th century, the **Old Princely Court** which played host to the ruling princes of the Romanian Country for four centuries (14-18th centuries) has been preserved in ruins and turned today into a museum.*

Biserica Buna Vestire, numită de bucureșteni „Curtea Veche", este chiar cea mai veche din București. Ea a fost construită (probabil între anii 1545 - 1554) de voievodul Mircea Ciobanul. Aici au fost încoronați, timp de două veacuri, domnii Țării Românești.

*The **Annunciation Church**, called the "Old Court" by Bucharesters, is definitely the oldest one in the capital city. It was erected (probably between 1545-1554) by voivode Mircea Ciobanu. This is where the ruling princes of the Romanian Country were crowned for two centuries.* ▷

Mica **biserică Stavropoleos**, unul dintre cele mai frumoase monumente bucureștene, a fost ctitorită în 1724 de călugărul grec Ioanichie, ca biserică a hanului ridicat de către acesta. Icoanele de origine s-au păstrat până astăzi. Biserica Stavropoleos reprezintă un desăvârșit exemplar de artă brâncovenească târzie.

*The small **Stavropoleos church**, one of the most beautiful monuments of Bucharest, was founded in 1724 by the Greek monk Ioanichie, as the church of the inn raised by him. The original icons have been preserved unaltered until today. Stavropoleso church is a perfect example of late Brâncoveanu art.*

"**Caru cu bere**" este una din berăriile tradiționale ale Bucureștilor. Construcția, ridicată de arh. Siegfried Kofzinski în 1879, în stil neogotic la modă în epocă, păstrează și astăzi ornamentația bogată a interiorului și a exteriorului, ca și atmosfera de berărie nemțească.

"Caru cu bere" is one of the traditional beer restaurants of Bucharest. The building erected by architect Siegfried Kofzinski in 1879, in the neo-Gothic style in fashion at that time, has preserved today as well the rich inside and outside ornaments as well as the atmosphere of a genuine German beer house.

"**Hanul lui Manuc**" dăinuiește și astăzi ca prin minune, dând mărturie despre felul în care arătau marile hanuri bucureștene acum câteva secole. Construit la începutul sec. al XIX-lea, hanul are fațadele decorate sobru cu stucaturi; în curtea interioară, galeriile trilobate ale etajului superior, sprijinite pe delicați stâlpi de lemn, ritmează spațiul, aducând un element decorativ elegant în sobrietatea ansamblului.

"Hanul lui Manuc" (Manuc's Inn) has been preserved as if by miracle, being an evidence of the way in which the Bucharest inns were looking like a few centuries ago. Raised at the beginning of the 19th century, the facades of the inn are decorated in a sober manner with stucco works; in the interior courtyard, the three-cusped galleries of the upper floor, supported by delicate wooden pillars are a perfect match for the surrounding area, adding a smart decorative element to the severe ensemble.

"Hanul cu tei", alt colțișor al Bucureștilor vechi, în care se păstrează atmosfera începutului de secol XIX, are o curte interioară lungă, mărginită de prăvălioare cu uși și ferestre oblonite. Fațada dinspre strada Lipscani, decorată în stil eclectic, are ca podoabă un bovindou încununat de un fronton triunghiular, bogat ornamentat.

"Hanul cu Tei" (the Linden Trees Inn), a small corner of old Bucharest, where the atmosphere of the early 19th century has been preserved unaltered, has a long interior courtyard surrounded by small shops equipped with shuttered doors and windows. The facade overlooking Lipscani street, decorated in an eclectic style, is decorated with a bow window crowned with a richly ornamented triangular fronton.

Frumoasele clădiri proaspăt restaurate de pe mica **stradă a Soarelui** își sprijină zidurile, ca și multe alte clădiri din zona Centrului Vechi, pe străvechi ziduri îngropate în pământ. Construite în veacul al XIX-lea, clădirile, armonios concepute, sunt reprezentative pentru stilul ușor încărcat al arhitecturii epocii.

*The beautiful freshly restored buildings in the small **Soarelui street** have been erected, as it happens to many other houses in the old center area, over the ancient walls buried in the earth. Raised in the 19th century, the harmoniously conceived buildings are quite representative for the slightly strained style of the architecture of that epoch.*

Palatul CEC, construit în anul 1900 după planurile arhitectului francez Paul Gottereau, se ridică pe locul unde se afla altădată Biserica Sf. Ioan, mult iubită de bucureșteni.

Arhitectura armonioasă și impunătoare, de stil eclectic, interioarele elegante fac ca acest edificiu să fie considerat una dintre podoabele orașului.

*The **CEC Palace** built in 1900, after the plans of the French architect Paul Gottereau, was raised on the foundations of the former Sf. Ioan Church, highly popular with the Bucharesters.*

The harmonious and majestic architecture, in an eclectic style, the elegant interiors have turned this edifice into one of the city gems.

Printre monumentele istorice din vechiul centru al Bucureștilor se înalță clădiri ultramoderne din oțel și beton.

Very modern concrete and steel buildings can be admired among the beautiful edifices of the old center of Bucharest.

Situată pe locurile care au aparținut în vechime marii familii boierești a Bălăcenilor, clădirea **Muzeului Național de Istorie** a României (fostă Palat al Poștelor) a fost ridicată între anii 1894 - 1900, după planurile arhitectului Săvulescu.

Muzeul deține colecții valoroase legate de istoria țării. Printre cele mai cunoscute piese se numără tezaurul vizigot „Cloșca cu pui" și copiile metopelor Columnei lui Traian, din Roma, cu reliefuri istorisind cucerirea Daciei de către romani.

*Situated on a plot of land which had once belonged to the important Bălăceanu landlords family, the building of the **National Museum of History of Romania** (the former Post Office Palace) was erected between 1894 - 1900, after the plans of architect Săvulescu.*

The museum possesses a large number of valuable collections related to the history of the country. Worth mentioning among the best known items are the Visigoth treasury known as "The Hen with Chickens" and the copies of the metopes carved on Traian's Column in Rome with the reliefs that tell the history of Dacia's conquest by the Romans.

Construită între anii 1883-1885, după planurile arhitecților Albert Galleron și Cassien Bernard, clădirea **Băncii Naționale a României** ocupă locul pe care se afla odinioară hanul Șerban-Vodă, ridicat de voievodul Șerban Cantacuzino, unul dintre cele mai mari hanuri din București.

Clădirea băncii ilustrează stilul eclectic, de nuanță clasică, la modă la sfârșitul sec. al XIX-lea. Nu lipsesc coloanele ionice și corintice, frontoanele triunghiulare deasupra ferestrelor; statuile care împodobesc fațada sunt opera sculptorului Ion Georgescu.

*Erected between 1883-1885, in keeping with the plans of architects Albert Galleron and Cassien Bernard, the building of the **National Bank of Romania** is located on the very place of the former Șerban Vodă Inn raised by voivode Șerban Cantacuzino, one of the largest inns in Bucharest, at that time.*

The National Bank's building illustrates the eclectic style, with a classical nuance, in fashion at the end of the 19th century. Neither missing are the Ionic and Corinthian columns, the triangular frontons above the windows. The statues that adorn the facade were carved by sculptor Ion Georgescu.

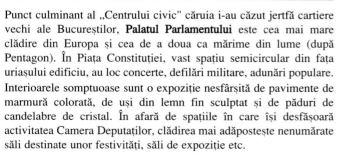

Punct culminant al „Centrului civic" căruia i-au căzut jertfă cartiere vechi ale Bucureștilor, **Palatul Parlamentului** este cea mai mare clădire din Europa și cea de a doua ca mărime din lume (după Pentagon). În Piața Constituției, vast spațiu semicircular din fața uriașului edificiu, au loc concerte, defilări militare, adunări populare.

Interioarele somptuoase sunt o expoziție nesfârșită de pavimente de marmură colorată, de uși din lemn fin sculptat și de păduri de candelabre de cristal. În afară de spațiile în care își desfășoară activitatea Camera Deputaților, clădirea mai adăpostește nenumărate săli destinate unor festivități, săli de expoziție etc.

*A climax of the "Civic Center" for whose construction the old districts of Bucharest were sacrificed, the **Parliament Palace** is the largest building in Europe and the second largest one in the world (after the Pentagon.) The Constitution Square, a vast semicircular area in front of the huge edifice, plays host to concerts, shows, military parades, people's rallies.*

The gorgeous interiors are an endless exhibition of colored marble floors, finely carved wooden doors and numberless crystal chandeliers. Besides the rooms where the Chamber of Deputies carries out its activity, the building also hosts numerous other halls destined to other events, festivities, exhibitions and so on.

Piața Națiunilor Unite este împodobită cu două frumoase blocuri cu arhitectură complicată, datorate arhitectului Petre Antonescu.

*The **United Nations Square** is embellished by two lovely blocks of flats with a complicated architecture designed by architect Petre Antonescu.*

◁

Apa **Dâmboviței** străbate astăzi orașul, într-o albie falsă de beton, construită între anii 1982 și 1986.

*Today, **Dambovita waters** flow across the town in a new, concrete made river bed built between 1982-1986.*

Edificiul actual al **bisericii Sfântul Gheorghe Nou** este o reconstrucție a unui mai vechi lăcaș, înfăptuită de Constantin Brâncoveanu.

În fața ei este așezată statuia ctitorului, operă a sculptorului Oscar Han. Cea mai frumoasă podoabă a bisericii este pridvorul, cu coloane în torsadă și cu balustradă de piatră sculptată.

*The current edifice of **Sfântul Gheorghe Nou Church** is a reconstruction of an older religious edifice, erected by Constantin Brâncoveanu.*

We may see in front of it the memorial of its founder, carved by sculptor Oscar Han. The most beautiful ornament of the church is the porch, with cable moulding columns and a carved stone balustrade.

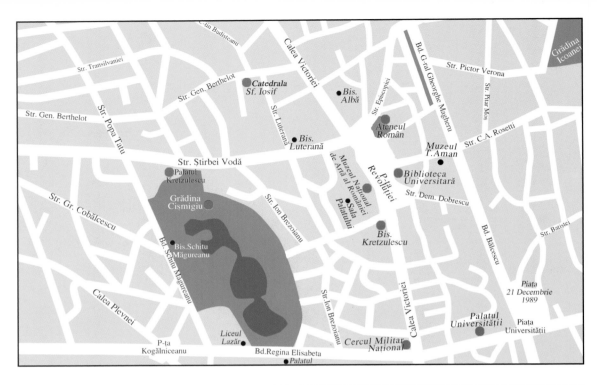

Str. Transilvaniei
Str. Gen. Berthelot
Str. Popa Tatu
Str. Gen. Berthelot
Calea Victoriei
Ctin Budisteanu
Bd. G-ral Gheorghe Magheru
Grădina Icoanei
Str. Pictor Verona
Str. Pitar Moș
Str. C.A. Rosetti
Catedrala Sf. Iosif
Bis. Albă
Str. Luterană
Str. Episcopiei
Ateneul Român
Bis. Luterană
Muzeul T.Aman
Str. Ştirbei Vodă
Palatul Kretzulescu
Muzeul National de Arta al Romaniei
P-ţa Revoluţiei
Biblioteca Universitară
Str. Dem. Dobrescu
Grădina Cişmigiu
Str. Gr. Cobălcescu
Str. Ion Brezoianu
Sala Palatului
Bis. Kretzulescu
Bd. Bălcescu
Str. Batistei
Bis.Schitu Măgureanu
Bd. Schitu Măgureanu
Calea Plevnei
Piata 21 Decembrie 1989
Liceul Lazăr
Str. Ion Brezoianu
Calea Victoriei
Palatul Universităţii
Piaţa Universităţii
P-ta Kogălniceanu
Bd.Regina Elisabeta
Cercul Militar National
Palatul

Palatul Universității ocupă colțul dintre bulevardele Elisabeta și Nicolae Bălcescu. Partea centrală a corpului dinspre bulevardul Elisabeta, în stil neoclasic, a fost inaugurată în 1869; autorul planurilor a fost arhitectul Alexandru Orăscu. Clădirile laterale au fost construite între 1912 - 1926 (autor – arhitect N. Ghica Budești). Universitatea bucureșteană a fost creată în 1864 de către domnitorul Alexandru Ioan Cuza. În fața Universității, pe latura dinspre bulevardul Elisabeta, sunt așezate statuile profesorului Spiru Haret (autor – sculptorul Ion Jalea), Gheorghe Lazăr (autor – Ion Georgescu), Ion Heliade Rădulescu (autor – Ettore Ferrari). Între ei, statuia ecvestră a domnitorului Mihai Viteazul (operă a sculptorului francez Carrier-Belleuse).

*The **University Palace** is situated at the corner between Elizabeta and Nicolae Bălcescu boulevards. The central part of the building overlooking Elizabeta Boulevard in neoclassical style, was inaugurated in 1899; the author of the edifice plans was architect Alexandru Orăscu. The lateral buildings were erected between 1912- 1926 (author: architect N. Ghica Budești.)*

The Bucharest University was set up by ruling prince Alexandru Ioan Cuza, in 1864. Facing the University on the side that overlooks Elizabeta Boulevard, we find the memorials of Spiru Haret (carved by Ion Jalea), Gheorghe Lazăr (sculptor Ion Georgescu), Ion Heliade Rădulescu (author - Ettore Ferrari.) Located among them, is the equestrian statue of ruling prince Michael the Brave (carved by the French sculptor Carrier-Belleuse.)

Clădirea monumentală, în stil neoclasic francez, a **Cercului Militar Național**, datează din 1912. Planurile sale sunt opera arhitecților D. Maimarolu, V. Ștefănescu, E. Doneaud.

În interioarele somptuoase ale Cercului Militar aveau loc altădată baluri la care participa buna societate bucureșteană. Azi, sălile găzduiesc adeseori expoziții de artă contemporană românească.

*The monumental building in neoclassical French style of the **National Military Circle** dates back to 1912. Its plans were drawn by architects D. Maimarolu, V. Stefănescu, E. Doneaud.*

The gorgeous halls of the Military Circle venued in the past magnificent balls with the participation of the Bucharest society. Today, the halls host quite often Romanian contemporary art exhibitions.

Silueta caracteristică a **Ateneului Român** este una din emblemele Bucureștilor.

Construcția Ateneului a fost începută în 1896, după proiectul arhitectului francez Albert Galleron. Ridicat prin subscripție publică, Ateneul a rămas celebru prin sloganul vremii: „Dați un leu pentru Ateneu".

Filarmonica Română concertează în mod obișnuit în sala rotundă a Ateneului, cu decor supraîncărcat și împodobită cu marea frescă a pictorului Costin Petrescu, în care sunt înfățișate momentele principale ale istoriei românilor.

*The characteristic silhouette of the **Romanian Atheneum** is one of Bucharest's emblems.*

The Atheneum construction started in 1896, in keeping with the project of French architect Albert Galleron. Raised with the help of a public subscription, the Atheneum has remained famous through the slogan of the epoch:"Give one leu for the Ateneu!"

The "George Enescu" Philharmonic Orchestra usually performs its concerts in the over adorned round hall of the Atheneum decorated with the big fresco painted by painter Costin Petrescu, which presents the major moments of the Romanians' history.

Frumoasa clădire a **Bibliotecii Universitare** a fost construită prin grija regelui Carol I, după proiectul arhitectului francez Paul Gottereau.

În clădire se află un amfiteatru pentru conferințe; biblioteca și sălile de lectură ocupă etajul. Clădirea a suferit mari daune în timpul Revoluției anticomuniste din decembrie 1989 când, în incendiul care s-a produs, s-au pierdut multe dintre cărțile rare și lucrările de artă care aparțineau Bibliotecii. Acum restaurată, Biblioteca și-a reîntregit colecțiile prin donații și noi achiziții.

*The lovely building of the **University Library** was raised through the care of King Carol I, in keeping with the plans of the French architect Paul Gottereau. In the building we find an amphitheater destined to conferences.*

The library and the reading halls are located at the first floor. The building was seriously damaged during the anticommunist Revolution of December, 1989, when many of the rare books and works of art belonging to the library were destroyed by the fire. Restored in the meantime, the library has completed its collections through donations and new acquisitions.

În Piaţa Palatului stau faţă în faţă Muzeul Naţional de Artă al României şi Biblioteca Universitară.

Palatul Regal, astăzi **Muzeu Naţional de Artă al României,** a fost ridicat în 1937 după planurile arhitectului N. Nenciulescu.

Interioarele rafinat decorate adăpostesc colecţii preţioase de artă europeană şi de artă românească.

In the Palace Square we find face to face the National Art Museum of Romania and the University Library.

*The **Royal Palace,** turned today into the **National Art Museum** of Romania, was erected in 1937 after the plans of architect N. Nenciulescu. The interior halls adorned with a refined decoration display highly valuable collections of European and Romanian art.*

Biserica Crețulescu a fost ctitorită în 1722 de Iordache Crețulescu și de soția sa Safta, fiica domnitorului Constantin Brâncoveanu. Biserica păstrează importante fragmente din pictura de origine, în special în pridvor.

Cretulescu Church was founded in 1722 by Iordache Crețulescu and his wife Safta, the daughter of ruling prince Constantin Brâncoveanu. The church has preserved important fragments of the original painting, mainly in the porch.

Centru al vieții spirituale a comunității romano-catolicilor din București, **Catedrala romano-catolică Sf. Iosif** a fost construită în 1883, după planurile arhitectului vienez Friedrich Schmidt, într-un stil care îmbină elemente de artă romanică și gotică. Edificiul are un decor interior sobru, în care se remarcă picturile deosebite pe folie de aramă.

*A center of the spiritual life of the Roman-Catholic congregation in Bucharest, the **Roman-Catholic Cathedral** was erected in 1883, in keeping with the plans of the Viennese architect Friedrich Schmidt, in a style that blends the elements of Romanic and Gothic art. The edifice has a sober interior in which worth mentioning are the special paintings made on copper sheets.* ▷ ▷

Vechea și frumoasa **Grădină a Cișmigiului** a fost amenajată între anii 1849 - 1856, în timpul domniei lui Barbu Știrbey, sub îngrijirea arhitectului peisagist german Fr. Meyer. De un veac și jumătate, parcul este un loc predilect de recreere al bucureștenilor; pe aleile mărginite de bănci se bucură de soare bătrânii și copiii, iar lacul este împărăția plimbărilor cu barca, spre fericirea îndrăgostiților.

*The old and lovely **garden of Cișmigiu** was set up between 1849-1856, during the reign of Barbu Știrbey, under the care of the German landscape architect Fr. Meyer. For one century and a half the garden has been the favourite place where the Bucharesters spend their leisure time. The elderly and the children enjoy the delightful sunny days in the alleys marked by old trees while the lake is the kingdom of those fond of boating, mainly of lovers.*

Palatul Kretzulescu, ridicat la începutul secolului XX după planurile arhitectului Petre Antonescu, uimește trecătorii cu arhitectura sa complicată, în stil eclectic inspirat mai ales din Renașterea franceză.

Kretzulescu Palace, erected in the early 20th century, in compliance with architect Petre Antonescu's plans, amazes the passers-by with its complicated architecture in an eclectic style mainly inspired by the French Renaissance.

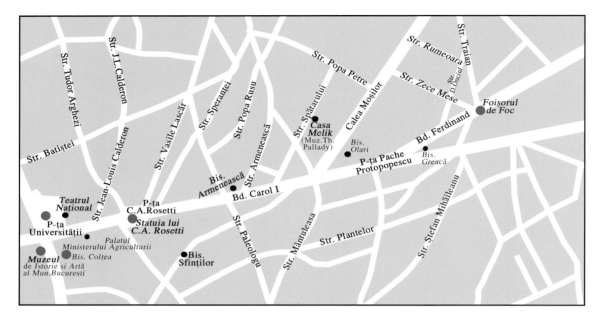

Map showing streets including Str. Tudor Arghezi, Str. J.L.Calderon, Str. Jean-Louis Calderon, Str. Vasile Lascăr, Str. Speranței, Str. Popa Rusu, Str. Popa Petre, Str. Rumeoara, Str. Traian, Str. Zece Mese, Str. Spătarului, Casa Melik (Muz.Th. Pallady), Calea Moșilor, Bis. Olari, Bd. Ferdinand, Foișorul de Foc, Str. Batiștei, Bis. Armenească, Str. Armenească, Bd. Carol I, P-ța Pache Protopopescu, Bis. Greacă, Teatrul National, P-ța C.A.Rosetti, Statuia lui C.A. Rosetti, Palatul Ministerului Agriculturii, P-ța Universității, Bis. Coltea, Muzeul de Istorie si Artă al Mun.Bucuresti, Bis. Sfinților, Str. Paleologu, Str. Mantuleasa, Str. Plantelor, Str. Ștefan Mihăileanu

Biserica Colțea a fost construită în anul 1698 de Mihai Cantacuzino.
*The **Colțea Church** was built in 1698 by Mihai Cantacuzino.*
◁

Inimă a orașului, **Piața Universității** este situată la intersecția celor două axe nord - sud și est - vest care împart Capitala. Dominată de clădirea impunătoare a hotelului Intercontinental, Piața a fost în 1989 și 1990 teatrul unor evenimente majore care au emoționat întreaga lume. În amintirea tinerilor care și-au dat viața aici pentru libertate, în mijlocul Pieței au fost puse câteva cruci vechi de piatră.

*The heart of the town, the **University Square** is situated at the crossroads of two axes: the north-south and east-west ones, which partition the capital city. Dominated by the majestic building of the Intercontinental Hotel, the Square was in 1989 and 1990, the theatre of a series of major events, which thrilled the world. A few old stone crosses were placed in the middle of the Square in memory of the young people who sacrificed their life for the country's freedom here.*

▷ ▷

Muzeul de Istorie și Artă al Municipiului București ființează în clădirea **Palatului Șuțu**, una dintre cele mai vechi și mai frumoase din Capitală. Edificiul a fost ridicat între 1832 - 1834, sub conducerea arhitecților austrieci Witald și Konrad Schivink. Interiorul păstrează în bună măsură decorul original, la care a contribuit în mod esențial sculptorul Karl Storck (1826 - 1887). Muzeul expune o bogată colecție ilustrând istoria Bucureștilor.

*The Museum of History and Art of the Bucharest Municipality is hosted by the **Șuțu Palace**, one of the oldest and finest buildings in Bucharest. The edifice was erected between 1832-1834, under the guidance of the Austrian architects Witald and Konrad Schivink. The interior still preserves at a high extent the original decoration to which sculptor Karl Storck made an essential contribution. The museum displays a rich collection that illustrates the history of Bucharest.*

În mijlocul pieței care-i poartă numele, a fost așezat în 1903 monumentul dedicat marelui om politic român **C.A. Rosetti**, sculptură datorată artistului german W.C. Hegel. Pe postamentul statuii, basoreliefurile în bronz înfățișează evenimentele istorice în care Rosetti a jucat un rol de frunte: Proclamarea Unirii Principatelor (1859) și Proclamarea Independenței (1877).

*The memorial dedicated to the great Romanian politician **C.A. Rosetti**, carved by the German artist W.C. Hegel, was located, in 1903, in the middle of the square that bears his name. On the pedestal of the memorial, the bronze made bas-reliefs recall the historic events in which Rosetti played an outstanding role: the proclamation of the Union of the Romanian Principalities (1859) and the Proclamation of the Independence of the country (1877.)*

Foișorul de foc, construcție ciudată care amintește că adeseori incendiile devastau Bucureștii de altădată, a fost ridicat în 1892 de arhitectul George Mandrea. Clădirea adăpostește astăzi Muzeul pompierilor.

*"Foișorul de Foc" (**the Fire Tower**) a strange construction, which recalls the fact that quite often in the past Bucharest was devastated by fires, was raised in 1892 (arch.G. Mandrea). The building hosts today the Firemen Museum.*

Puțin mai departe, **Piața Pache Protopopescu** a fost văduvită în ultima jumătate de veac de statuia cunoscutului primar al Bucureștilor, înlocuită cu o fântână arteziană.

*In the immediate neighbourhood, **Pache Protopopescu Square** was deprived in the last half century of the memorial of the well known mayor of Bucharest which was replaced by an artesian fountain.* ▷

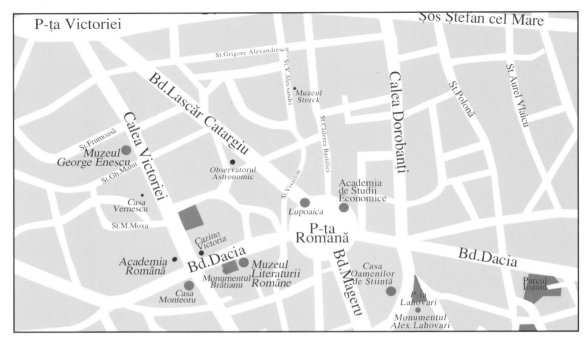

Map labels:
P-ța Victoriei · Șos Ștefan cel Mare · St.Grigore Alexandrescu · St.V.Alecsandri · Muzeul Storck · Bd.Lascăr Catargiu · Calea Dorobanți · St.Polonă · St.Aurel Vlaicu · St.Frumoasă · Muzeul George Enescu · Calea Victoriei · St.Gh.Manu · Observatorul Astronomic · St.Căderea Bastiliei · Academia de Studii Economice · St.Visarion · Casa Vernescu · Lupoaica · St.M.Moxa · P-ța Română · Cazino Victoria · Academia Română · Bd.Dacia · Muzeul Literaturii Române · Casa Oamenilor de Știință · Bd.Dacia · Monumentul Brătianu · Bd.Mageru · Casa Monteoru · P-ța Lahovari · Parcul Ioanid · Monumentul Alex.Lahovari

Piața Romană este un nod important pe axa nord - sud a orașului. Ea este împodobită cu o sculptură care reproduce „**Lupoaica capitolină**", dăruită orașului București de orașul Roma în 1906. Pe una din laturile pieței se află frumoasa casă în care a locuit pictorul Gheorghe Petrașcu.

*Piața Romană (Romana Square) is an important crossroads on the north-south axis of the town. It is adorned with a sculpture that reproduces the "**Lupa Capitolina**" offered to the town of Bucharest by the city of Rome in 1906. On one of the square sides, we can admire the lovely house inhabited by painter Gheorghe Petrașcu.*

Pe Calea Victoriei, în somptuoasa clădire care a fost casa principelui Gr. Cantacuzino, ființează **Muzeul Național George Enescu**. Edificiul, operă a arhitectului I. Berindei, îmbină în mod fericit elemente de stil neoclasic francez și art-nouveau. În interioarele bogat decorate este expusă o colecție de obiecte de artă și de obiecte personale ale Cantacuzinilor și ale marelui compozitor.

*In Calea Victoriei, the splendid building which had once belonged to prince Gr. Cantacuzino, plays host to the **"George Enescu" National Museum**. The edifice, (architect I. Berindei) blends in a most fortunate manner the French neoclassical style with the art-nouveau elements. A collection of art objects and personal possessions of the Cantacuzino family but also of the great Romanian musician is displayed in the richly decorated interiors.*

Edificiul impunător al **Academiei de Studii Economice** (arh. Gr. Cerchez și Van Saanen Algi) a fost ridicat în 1926. Sala de ceremonie este decorată cu o frescă înfățișând istoria comerțului românesc.

*The majestic edifice of the **Academy of Economic Studies** (architects Gr. Cerchez and Van Saanen Algi) was raised in 1926. The ceremony hall is decorated with a fresco presenting the history of Romanian trade.*

Observatorul Astronomic funcționează în casa dăruită municipalității de amiralul V.Urseanu. Amiralul, el însuși preocupat de astronomie, a amenajat încă de la început ca observator astronomic propria sa casă, inaugurată în 1910.

*The **Astronomic Observatory** carries out its activity in the house donated to the Municipality by admiral V.Urseanu. The admiral, which was fond of astronomy, decided, since the very beginning, that his own house, inaugurated din 1920, would be an astronomic observatory.* ◁

În micul parc de lângă Muzeul Literaturii este așezat monumentul omului politic **Ion Brătianu**, sculptat în granit de I. Mestrovic. Celălalt monument datorat lui Mestrovic, cu care se mândrea Capitala României, statuia ecvestră a regelui Carol I, a dispărut demult; era din bronz și a putut fi topită. Chiar și granitul poartă urma avatarurilor istoriei: reverele de piatră ale hainei lui Brătianu au fost sfărâmate de arme dușmane.

*In the small garden close to the Romanian Literature Museum, we find the monument of the well known Romanian politician **Ion Brătianu** carved in granite by I. Mestrovic. The other memorial carved by Mestrovic which represented the pride of the capital city of Romania, the equestrian statue of King Carol I, has disappeared a long time ago; it was cast in bronze and it could be easily melted. Even the granite bears the marks of the avatars of history; the stone lapels of Brătianu's coat have been broken into pieces by enemy weapons.*

Muzeul Literaturii Române este adăpostit în casa construită de Scarlat Kretzulescu în prima jumătate a secolului XIX. Colecțiile muzeului cuprind o bogăție de manuscrise, ediții rare, publicații vechi, obiecte memoriale.

*The **Museum of Romanian Literature** is hosted in the house erected by Scarlat Kretzulescu in the first half of the 19th century. The rich collections of the museum include numerous manuscripts, rare books, old publications, memorial objects.*

Construită la începutul sec. al XX-lea de arh. Ion Berindei, în stilul de inspirație franceză caracteristic vremii, "**Casa Oamenilor de Știință**" din piața Lahovari a fost ridicată de Bazil George Assan, fiul bogatului industriaș G.Assan. Situată chiar vis-a-vis de

*Built in the early 20th century by architect Ion Berindei, in the style of French inspiration characteristic for that epoch, **"The Scientists' House"** located in Lahovary Square, belonged to Bazil George Assan, the son of rich industrialist G. Assan. Situated in front of the*

monumentul închinat lui **Alexandru Lahovari** (autor E. Marcier), casa are în față o frumoasă grădină cu trandafiri. Interioarele, extrem de bogat împodobite, păstrează multe din obiectele de artă rămase de la vechii proprietari ai clădirii.

*memorial dedicated to **Alexandru Lahovary** (created by E. Marcier) the house has a beautiful rose garden in front of it. The extremely richly adorned interiors have preserved many of the art objects that have remained from the former owners of the building.*

O altă casă boierească din București, **Casa Monteoru**, adăpostește astăzi sediul Uniunii Scriitorilor din România. Construită la începutul secolului după proiectul arhitectului-inginer Nic. Cuțarida, casa păstrează aproape intactă decorația somptuoasă a interiorului, cu picturi murale, bronzuri de artă, sculptură în lemn.

*Another aristocratic building in Bucharest, **Monteoru House**, hosts today the headquarters of the Writers Union of Romania. Erected at the beginning of the century in compliance with the project of engineer-architect Nic. Cuțarida, the house has preserved almost intact the splendid decoration of the interior with wall paintings, artistic bronze objects and wood sculptures.* ▷

Pe strada Dionisie Lupu, într-o grădină întinsă, se află una dintre puținele construcții de pur stil neogotic din București: casa începută la mijlocul secolului al XIX-lea de Cesar Liebrecht și terminată de familia boierilor Filipescu. Lucrările au fost dirijate de arhitectul M. Sanjouin. Astăzi funcționează aici restaurantul „**Casa Universitarilor**", ale cărui saloane păstrează încă somptuosul decor de origine.

*In Dionisie Lupu Street, in the middle of a huge garden we come across one of the few constructions erected in pure neo-Gothic style in Bucharest: the house whose building was initiated in the middle of the 19th century by C. Liebrecht and was finalized by the aristocratic Filipescu family. The building works were conducted by architect Michel Sanjouin. Today the building hosts the restaurant **"Casa Universitarilor"**.*

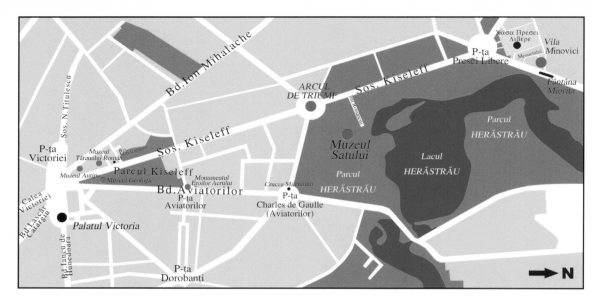

În jurul Pieței Victoriei, în marile parcuri care se întind de-a lungul arterelor, se ridică unele dintre cele mai importante muzee ale Capitalei: **Muzeul de Istorie Naturală Grigore Antipa** (1904 – 1906, constructor ing. Mihai Rocco, fațada arh. Grigore Cerchez), **Muzeul Geologic** (1906 - 1908, arh.V.Ștefănescu) și **Muzeul Țăranului Român** (1912 - 1941, arh. N. Ghika-Budești).

Around Victoria Square, in the large parks stretching along the avenues, we come across some of the most important museums of the capital city: "Grigore Antipa" Museum of Natural History (1904-1906 erected by Eng. Mihai Rocco, the facade is due to architect Grigore Cerchez), the Museum of Geology (1906-1908, architect: V. Stefănescu) and the "Museum of the Romanian Peasant" (1912-1941, architect: N. Ghika-Budești.) ▷

În capătul celălalt al Șoselei Kisseleff, lângă fântâna Miorița, se află micul **Muzeu de Artă Apuseană „ing. D. Minovici"**, care expune prețioase colecții în încăperile casei construite de arhitectul italian Canella, între anii 1940 - 1942.

At the other end of Kisseleff avenue, near Miorița Fountain, we find the small "Eng. D. Minovici" Museum of Western Art , which displays valuable collections in the rooms of this house erected by the Italian architect Canella between 1940-1942.

Nu departe unul de altul, două monumente celebrează amintirea eroilor români. **Monumentul Eroilor Aerului**, opera artistei L. Kotzebue, este așezat în Piața Aviatorilor.
*Not far from each other two monuments celebrate the memory of the Romanian heroes. The **Air Heroes Memorial**, carved by artist Lucia Kotzebue, is located in the Airmen Square.*

Piața Victoriei, deschisă în 1831, când a fost trasată și Șoseaua Kiseleff, este înconjurată de clădiri construite în epoci diferite. De la fațada cu un farmec desuet a Muzeului de Istorie Naturală Gr. Antipa, la cea severă a Palatului Victoria (1937, arh. Duiliu Marcu), la monotonele blocuri noi construite în ultimul deceniu al sec.XX, edificiile care mărginesc piața ilustrează, prin stilurile lor atât de diferite, înșiruirea de evenimente istorice care au făurit chipul României de azi.

Arcul de Triumf, înălțat în cinstea Unirii tuturor românilor după primul Război Mondial, construit între 1935-1936 după planurile arhitectului Petre Antonescu, ocupă centrul pieței care-i poartă numele.
*The **Arch of Triumph** which pays a tribute to the Union of all Romanians after World War I, erected between 1935-1936 in keeping with the plans of arch. P. Antonescu, is located in the middle of the square that bears its name.*

Piata Victoriei (Victoria Square) inaugurated in 1831, when the Kiseleff Avenue was also designed, is surrounded by buildings erected in various epochs. From the facade imbued with an old delicate charm of the "Gr. Antipa" Museum of Natural History (1904-1906) to the severe facade of Victoria Palace (1937, architect Duiliu Marcu) up to the stern new blocks of flats built in the last decade of the 20th century, the edifices erected around the square illustrate through their different styles the series of historical events which have created the image of today's Romania. ▷

Una dintre cele mai fermecătoare tradiții ale Bucureștilor de dinaintea celui de-al doilea Război Mondial era "bătaia cu flori", care avea loc în fiecare primăvară și la care participau nu numai membrii înaltei societăți bucureștene, ci toți locuitorii orașului. De curând, din inițiativa Primăriei Municipiului, această tradiție a fost vremelnic reînviată, rămânând pentru bucureșteni prilej de plăcute aduceri aminte.

One of the loveliest traditions in Bucharest before Worlds War II was the "flower battle," organized every spring with the participation not only of the Bucharest society but of all the inhabitants of the city. Recently, this tradition was temporarily revived at the initiative of the Municipality of the capital city, remaining a pleasant memory for the Bucharesters.

Parcul Herăstrău, una dintre cele mai întinse grădini ale Capitalei, a fost amenajat în 1936, cu ocazia expoziţiei "Luna Bucureştilor". Este o oază de verdeaţă şi de linişte, cu alei îngrijite, pe care copiii se zbenguiesc în voie. Pe lacul din mijlocul parcului plutesc adeseori graţioase bărci cu pânze, aparţinând cluburilor de yachting bucureştene. Un mic vaporaş face curse de agrement în jurul lacului.

Herăstrău Park, one of the largest gardens of Bucharest, was set up in 1936 on the occasion of the exhibition called "The Month of Bucharest." It is an oasis of greenery and quiet, with clean alleys, where children are cheerfully playing. Graceful boats belonging to the Bucharest yachting clubs sail on the lake in the middle of the park while a small ship makes short cruises around the lake.

Muzeul Satului, cel mai mare muzeu în are liber din Europa, a fost înființat în mai 1936, la inițiativa profesorului Dimitrie Gusti.

El adună, pe o vastă suprafață de la malul lacului Herăstrău, peste 300 construcții țărănești, case, biserici, mori de vânt și de apă, aduse aici cu dragoste și migală de pe întreg teritoriul țării. Frumos așezate într-un cadru natural plin de farmec, toate aceste capodopere de artă populară alcătuiesc un "sat ciudat, făcut din toate satele țării" (D.Gusti).

The **Village Museum**, the largest open air museum in Europe, was set up in 1936, at the initiative of Professor Dimitrie Gusti. It had gathered, on a large surface stretching on the banks of Herăstrău Lake, more than 30 peasant constructions, houses, churches, wind and water mills, lovingly and carefully brought here from the entire territory of the country. Beautifully located in a lovely landscape, all these folk art masterpieces form a "strange village which represents all the villages of the country." (D. Gusti.)

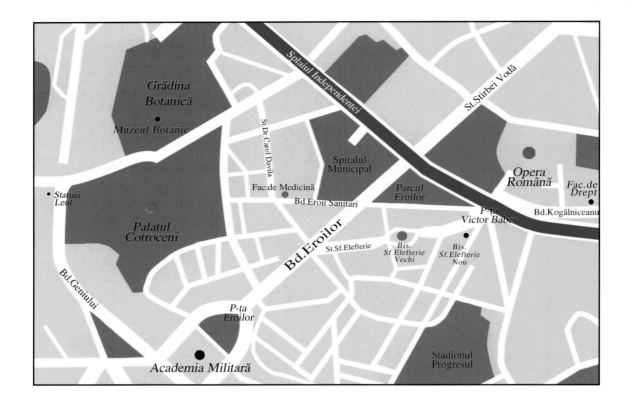

Situat la granița Cotrocenilor - unul dintre cartierele rezidențiale ale Capitalei - **Teatrul de Operă și Balet** datează din anii 1952-1953 și poartă pecetea stilului arhitectural al acelei epoci.

Liniile severe, de o expresivitate clasică, sunt îmblânzite de cele două basoreliefuri ce împodobesc fațada. În fața clădirii veghează monumentul de bronz al marelui muzician român George Enescu, operă a sculptorului Ion Jalea.

Situated at the border of Cotroceni - one of the residential districts of Bucharest - the Opera and Ballet Theatre dates from the years 1952-1953 and bears the indelible seal of the architectural style of that epoch. The severe lines of a classical expressiveness are softened by the two bas-reliefs that adorn the facade. Watching the building is the bronze memorial of the great Romanian musician George Enescu, cast by sculptor Ion Jalea.

Palatul Cotroceni, adăpostind astăzi sediul Președinției României, a fost construit pe locurile unde, de-a lungul veacurilor, au locuit domnii Țării Românești, începând cu Șerban Cantacuzino, ctitor (1679) al mănăstirii din care nu a mai rămas astăzi decât amintirea. Actuala clădire, construită în 1893 de arh. Paul Gottereau, în stil eclectic de sorginte franceză, a fost mărită prin adăugarea unui corp în stil neoromânesc, conceput de arhitectul Gr. Cerchez. O parte a clădirii găzduiește un muzeu, în încăperile căruia cercetătorii au încercat să reconstituie ambianța rafinată și lipsită de ostentație în care au trăit aici, timp de decenii, regii României.

The Cotroceni Palace, which plays host today to Romania's Presidency, was built on the very place where the ruling princes of the Romanian Country had lived along the centuries, starting with Șerban Cantacuzino, the founder of the monastery (1679) destroyed in the meantime. The current building, erected in 1893 by architect Paul Gottereau, in an eclectic style of French inspiration, was enlarged with a new construction in neo-Romanian style, conceived by architect Gr. Cerchez. Part of the building hosts a museum; in its rooms researchers tried to revive the refined atmosphere deprived of any ostentation, in which the kings of Romania had lived here for a few decades. ▷

Dealul Cotrocenilor era altădată acoperit de păduri dese. Domnitorii își petreceau aici, la răcoare, verile fierbinți bucureștene. Astăzi, singurele vestigii ale marilor codri de altădată sunt parcurile și grădinile care împodobesc cartierul.

In the past, Cotroceni hill was covered by thick forests. The ruling princes were spending here, in their cool atmosphere, the hot summers of Bucharest. Today, the only vestiges of the large woods of the times of yore are the parks and the gardens that adorn this district.

Biserica Sf. Elefterie Vechi, insulă de istorie în mijlocul unei străzi vibrând de viața agitată a orașului modern, datează de la mijlocul sec.XVIII. Armonios exemplar de arhitectură medievală, biserica era altădată așezată lângă un lac - demult dispărut - și înconjurată de păduri dese. Biserica **Sf. Elefterie Nou**, din apropiere, a fost construită în stil neoromânesc de arh. Constantin Iotzu; lucrările au durat între anii 1935-1971.

Sf. Elefterie Vechi (Old) Church, an island of history in the middle of a street throbbing with the intense life of a modern city, dates from the middle of the 18th century. A harmonious sample of medieval architecture, the church was situated in the old times in the vicinity of a lake - which has disappeared a long time ago - surrounded by thick forests.

Sf. Elefterie Nou (New) Church, situated in its immediate neighbourhood was built in neo-Romanian style by architect Constantin Iotzu between 1935-1971.

Facultatea de Medicină își are sediul într-un impozant edificiu de stil neoclasic francez, construit în 1903 după planurile arhitectului Louis Blanc. În fața clădirii este așezată statuia întemeietorului învățământului medical românesc, Carol Davila (1832-1884), operă a sculptorului Karl Storck.

The Faculty of Medicine is a majestic edifice in French neoclassical style, erected in 1903, in keeping with the plans of architect Louis Blanc. In front of the building we can see the statue of the founder of Romanian medical school, Carol Davila (1832-1884) carved by sculptor Karl Storck.

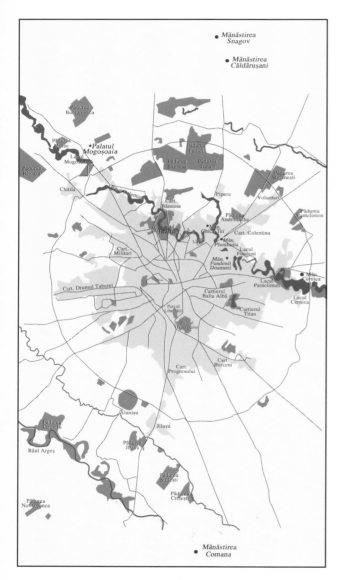

Așezământ mănăstiresc mult iubit de bucureșteni, **Cernica** a fost întemeiată de vornicul Cernica Știrbei, în primii ani ai sec. al XVII-lea. Trei biserici împodobesc locurile: biserica principală Sf. Gheorghe, construită între 1831-1842 și înconjurată de incinta mănăstirească, biserica Sf. Nicolae din Ostrov, în care se păstrează un remarcabil ansamblu de picturi și biserica Sf. Lazăr, fermecător mic edificiu care face oficiul de biserică a cimitirului.

*A monastery the Bucharesters are particular fond of, **Cernica** was founded by Vornic Cernica Știrbei in the first years of the 17th century. Three churches adorn the place: the major one, Sf. Gheorghe Church erected between 1831-1842 and surrounded by the thick monastery walls; Sf. Nicolae of Ostrov Church, which has preserved some remarkable paintings and last but not least Sf. Lazăr Church, a lovely small edifice which plays the role of cemetery church.*

La sud de București, la mai puțin de 30 km, se află vechea **mănăstire Comana**. Cercetările arheologice au confirmat tradiția care atribuia construcția mănăstirii voievodului Vlad Țepeș.

*Less than 30 km. south of Bucharest, the traveler can visit the old **Comana Abbey**. Archeological excavations have confirmed the tradition that attributed the construction of the monastery to voivode Vlad Țepeș.*

Printre importantele așezăminte monahale din jurul Capitalei, **mănăstirea Căldărușani** se distinge prin frumusețea construcțiilor și prin farmecul cadrului natural. Marea biserică a mănăstirii a fost ctitorită de Matei Basarab (1637-1638). În jurul ei, arcadele elegante ale corpurilor de chilii formează o montură demnă de bijuteria arhitectonică pe care o încadrează.

*Worth mentioning among the important monasteries situated around Bucharest, is **Căldărușani**, characterized by the beauty of the constructions and the charm of the surrounding landscape. The big church of the monastery was founded by voivode Matei Basarab and raised between 1637-1638. The elegant arcades of the cells form a setting worth the architectural gem they surround.*

Prima atestare a **mănăstirii Pasărea** datează din anul 1813, când aici se afla o biserică de lemn. Biserica mare a mănăstirii a fost zidită de Calinic cel Sfânt, în anul 1843.

Pasărea Monastery was attested for the first time in 1813, when a wooden church was built here. The big church of the monastery was raised by Calinic the Saint, in 1843.

Construit în 1702 de marele domnitor Constantin Brâncoveanu, ca reședință pentru fiul său mai mare, **Palatul Mogoșoaia** reprezintă unul dintre momentele de vârf ale arhitecturii medievale românești. Fațada dinspre curte poartă podoaba unui foișor cu scară, a cărui balustradă înflorită de piatră se armonizează cu balustrada loggiei de pe fațada dinspre lac. În Palatul Mogoșoaia este expusă frumoasa colecție de artă Nasta, alcătuită din picturi, piese de artă decorativă, mobilier.

*Erected in 1702 by the great Romanian ruling prince Constantin Brâncoveanu, as a residence for his elder son, **Mogoșoaia Palace** is one of the most remarkable monuments of Romanian medieval architecture. The facade overlooking the garden has been equipped with a belvedere and a stairs whose florid stone carved balustrade is in perfect harmony with the balustrade of the loggia of the facade overlooking the lake. The beautiful Nasta art collection, made of paintings, decorative art items and furniture is displayed in the palace.*